把握时代潮流 加强团结合作 共创美好未来

——在上海合作组织成员国元首理事会第二十二次会议上的讲话

（2022年9月16日）

习　近　平

人民出版社

把握时代潮流　加强团结合作
共创美好未来

——在上海合作组织成员国元首理事会第二十二次会议上的讲话

（2022年9月16日，撒马尔罕）

中华人民共和国主席　习近平

尊敬的米尔济约耶夫总统，

尊敬的各位同事：

很高兴出席上海合作组织峰会。感谢米尔济约耶夫总统的热情接待和周到安排。一年来，乌方作为轮值主席国，为推动本组织各领域合作做了大量卓有成效的工作，我对此高度赞赏。

撒马尔罕是举世闻名的“丝路明珠”，见证了古丝绸之路的灿烂和辉煌。古丝绸之路为亚欧大陆商品物产大流通、科学技术大传播、思想观念大碰撞、多元文化大交融作出巨大贡献，也为上海合作组织国家实现和平与发展提供了历史启迪。

今年适逢上海合作组织宪章签署20周年，成员国长期睦邻友好合作条约签署15周年。这些年来，本组织成员国以这两份纲领性文件为思想基石和行动指南，逐步成功探索出一条新型国际组织成长壮大之路，积累形成了一系列富有启示意义的重要成功经验。

——坚持政治互信。秉持成员国世代友好、永葆和平理念，尊重彼此核心利益和选择的发展道路，支持各方实现和平稳定和发展振兴。

——坚持互利合作。照顾彼此利益诉求，坚持共商共建共享原则，强化发展战略对接，始终走互利共赢、共同繁荣之路。

——坚持平等相待。倡导大小国家一律平等，奉行协商一致原则，遇事多商量、有事好商量，不搞以大欺小、以强凌弱。

——坚持开放包容。主张不同国家、不同民族、不同文化和谐共处、互学互鉴，倡导文明对话、求同存异，愿同更多志同道合的国家和国际组织建立伙伴关系和发展互利合作。

——坚持公平正义。恪守联合国宪章宗旨和原则，始终从事情本身的是非曲直出发，处理重大国际和地区问题，反对为一己私利损害他国正当权益。

上述5点经验充分体现了互信、互利、平等、协商、尊重多样文明、谋求共同发展的“上海精神”。实践表明，“上海精神”是上海合作组织发展壮大的生命力所在，更是上海合作组织必须长期坚持的根本遵循。过去我们践行“上海精神”取得巨大成功，未来我们还要秉持“上海精神”一路前行。

各位同事！

人类社会发展和大自然一样，有阳光灿烂的日子，也有风雪交加的时刻。当前，世界百年未有之大变局正在加速演进，世界进入新的动荡变革期。世纪疫情阴霾未散，局部冲突硝烟又起，冷战思维和集团政治回潮，单边主义、保护主义抬头，经济全球化遭遇逆流，和平赤字、发展赤字、信任赤字、治理赤字有增无减，人类社会正站在十字路口，面临前所未有的挑战。

新形势下，上海合作组织作为国际和地区事务中重要建设性力量，要勇于面对国际风云变幻，牢牢把握时代潮流，不断加强团结合作，推动构建更加紧密的上海合作组织命运共同体。

第一，加大相互支持。我们要加强高层交往和战略沟通，深化相互理解和政治互信，支持彼此为维护安全和发展利益所作努力。要防范外部势力策动“颜色革命”，共同反对以任何借口干涉别国内政，把本国前途命运牢牢掌握在自己手中。

第二，拓展安全合作。乌兹别克斯坦有句谚语，“有了和平，国家才能兴旺；有了雨露，大地才能繁荣。”为弥补和平赤字、破解全球安全困境，中方提出全球安全倡议，倡导各国秉持共同、综合、合作、可持续的安全观，推动构建均衡、有效、可持续的安全架构。欢迎各方共同参与落实这一倡议。

我们要持续开展联合反恐演习，严厉打击“三股势力”、毒品走私、网络和跨国有组织犯罪，有效应对数据安全、生物安全、外空安全等非传统安全挑战。中方愿在未来5年为成员国培训2000名执法人员，建立中国—上海合作组织反恐专业人才培训基地，强化各方执法能力建设。

我们要继续发挥“上海合作组织—阿富汗

联络组”、阿富汗邻国协调合作机制等平台作用，鼓励阿富汗当局搭建广泛包容的政治架构，根除恐怖主义滋生土壤。

第三，深化务实合作。地区各国人民过上好日子，是我们矢志以求的共同目标。中方发起全球发展倡议，就是希望国际社会高度重视发展问题，推动构建全球发展伙伴关系，实现更加强劲、绿色、健康的全球发展。中方愿同各方一道，推动倡议在本地区落地生根，助力各国实现可持续发展。

我们要落实好本次峰会通过的关于维护国际能源安全、粮食安全两份声明，提高能源和粮食安全保障水平。中方将向有需要的发展中国家提供价值 15 亿元人民币的粮食等紧急人道主义援助。

我们欢迎本次峰会批准成员国睦邻友好长期合作条约未来 5 年实施纲要，建议落实好峰会框架内通过的贸易和投资、基础设施建设、维护供应链、科技创新、人工智能等领域合作文件，继续加强共建“一带一路”倡议同各国发展战略和地区合作倡议对接，拓展小多边和次区域合作，打造更多合作增长点。

我们要落实好成员国扩大本币结算份额路线图，加强本币跨境支付结算体系建设，推动建立本组织开发银行，加快区域经济一体化进程。中方将于明年举办本组织发展合作部长会晤、产业链供应链论坛，建立中国—上海合作组织大数据合作中心，打造共同发展的新引擎。中方愿同各方开展航天领域合作，通过提供卫星数据服务，支持各方农业发展、互联互通建设、减灾救灾等事业。

第四，加强人文交流。文明在交流中融合，在融合中进步。我们要深化教育、科技、文化、卫生、媒体、广电等领域合作，继续办好青年交流营、妇女论坛、民间友好论坛、传统医学论坛等品牌活动，支持上海合作组织睦邻友好合作委员会等民间机构发挥应有作用。中方将建设中国—上海合作组织冰雪体育示范区，明年举办减贫与可持续发展论坛、友好城市论坛，未来 3 年为本组织国家的民众免费实施 2000 例白内障手术，提供 5000 个人力资源培训名额。

第五，坚持多边主义。热衷于搞“小圈子”，会把世界推向分裂和对抗。我们要坚定维护以联合国为核心的国际体系和以国际法为基础的国际秩序，弘扬全人类共同价值，摒弃零和博弈和集团政治。要拓展本组织同联合国等国际和地区组织交往，共同坚持真正的多边主义，齐心协力完善全球治理，携手推动国际秩序朝着更加公正合理的方向发展。

各位同事！

亚欧大陆是我们共同的家园，维护亚欧大陆和平与发展是本地区乃至世界各国的共同期盼，上海合作组织为此肩负着重要职责。近来，越来越多国家申请加入“上合大家庭”，充分表明上海合作组织的理念深入人心，发展前景被广泛看好。推动本组织发展扩员、发挥本组织积极影响，将为维护亚欧大陆以及世界持久和平和共同繁荣注入正能量、创造新活力。中方支持积极稳妥做好扩员工作，推进接收伊朗为成员国进程，启动白俄罗斯加入程序，吸收巴林、马尔代夫、阿联酋、科威特、缅甸为对话伙伴，给予有关申请国相应法律地位。我们要把握契机，凝聚共识、深化合作，共同创造亚欧大陆的美好未来。

中方祝贺印度接任上海合作组织下一届轮值主席国，愿同各方一道，支持印方做好主席国工作。

各位同事！

今年以来，面对复杂严峻的国内外发展环境，中国坚持稳中求进工作总基调，落实疫情要防住、经济要稳住、发展要安全的要求，坚持统筹疫情防控和经济社会发展，既最大程度保护了人民生命安全和身体健康，也最大程度稳住了经济社会发展基本盘。中国经济韧性强、潜力足、回旋余地广、长期向好的基本面不会改变，将为世界经济企稳复苏提供强大动能，为各国提供更广阔的市场机会。

再过一个月，我们将召开中国共产党第二十次全国代表大会。这是在迈上全面建设社会主义现代化国家新征程、向第二个百年奋斗目标进军的关键时刻召开的一次十分重要的大会。大会将全面总结中国改革发展取得的重大成就和宝贵经验，全面把握新时代新征程中国事业发展新要求、人民群众新期待，制定行动纲领和大政方针。我们将坚持以中国式现代化实现中华民族伟大复兴，继续积极推动构建人类命运共同体，以中国新发展给世界带来新机遇，为世界和平与发展和人类文明进步贡献智慧和力量。

各位同事！

路虽远，行则将至。让我们大力弘扬“上海精神”，推动上海合作组织发展行稳致远，共同建设和平、稳定、繁荣、美丽的美好家园！

谢谢各位。

图书在版编目(CIP)数据

把握时代潮流　加强团结合作　共创美好未来:在上海合作组织成员国元首理事会第二十二次会议上的讲话/习近平 著.—北京:人民出版社,2022.9

ISBN 978-7-01-025114-1

Ⅰ.①把…　Ⅱ.①习…　Ⅲ.①习近平-讲话 ②上海合作组织-国际合作-学习参考资料　Ⅳ.①D2-0 ②D814.1

中国版本图书馆 CIP 数据核字(2022)第 178138 号

(RMC-ZJDXI-129-20220916)

把握时代潮流　加强团结合作　共创美好未来

BAWO SHIDAI CHAOLIU JIAQIANG TUANJIE HEZUO
GONGCHUANG MEIHAO WEILAI

——在上海合作组织成员国元首理事会第二十二次会议上的讲话

(2022 年 9 月 16 日)

习　近　平

人民出版社 出版发行
(100706　北京市东城区隆福寺街 99 号)

北京新华印刷有限公司印刷　新华书店经销

2022 年 9 月第 1 版　2022 年 9 月北京第 1 次印刷
开本:880 毫米×1230 毫米 1/32　印张:0.5
字数:6 千字

ISBN 978-7-01-025114-1　定价:2.00 元

邮购地址 100706　北京市东城区隆福寺街 99 号
人民东方图书销售中心　电话 (010)65250042　65289539